Les Éditions du Boréal
4447, rue Saint-Denis
Montréal (Québec) H2J 2L2
www.editionsboreal.qc.ca

L'année CHAPLEAU 2010

SERGE CHAPLEAU

L'année CHAPLEAU 2010

Boréal

Les Éditions du Boréal reconnaissent l'aide financière du gouvernement du Canada par l'entremise du Fonds du livre du Canada (FLC) pour ses activités d'édition et remercient le Conseil des Arts du Canada pour son soutien financier.

Les Éditions du Boréal sont inscrites au programme d'aide aux entreprises du livre et de l'édition spécialisée de la SODEC et bénéficient du programme de crédit d'impôt pour l'édition de livres du gouvernement du Québec.

Illustration de la couverture : Serge Chapleau

Dépôt légal : 4e trimestre 2010
Bibliothèque et Archives nationales du Québec

Diffusion au Canada : Dimedia

Catalogage avant publication de Bibliothèque et Archives nationales du Québec et Bibliothèque et Archives Canada
Chapleau, Serge, 1945-
L'année Chapleau
ISSN 1202-8495
ISBN 978-2-7646-2062-5

1. Caricatures et dessins humoristiques – Canada. 2. Canada – Politique et gouvernement – 2006- – Caricatures et dessins humoristiques. 3. Québec (Province) – Politique et gouvernement – 2003- – Caricatures et dessins humoristiques. I. Titre.

NC1449.C45A4 741.5'971 C95-300755-3

Stephen Harper séduit le public en chantant une chanson des Beatles au Centre national des Arts d'Ottawa.

CODERRE DÉMISSIONNE DE SON POSTE DE LIEUTENANT
C'EST À CAUSE DE LA "GANG" DE TORONTO!
QUISSÉ QUE C'EST QUE VOUS PENSEZ QUI SE MÉRITE UNE CARTE DE MEMBRE DU BLOC QUÉBÉCOIS?!...
BLOC

DÉMISSION DE DENIS CODERRE
LA FRONDE EST VENUE DU QUÉBEC, PAS DE TORONTO
QUÉBEC, TORONTO! BOF!!! DE TOUTES FAÇONS, ÇA FAIT MÊME PAS MAL!

HYDRO N'ÉTUDIE AUCUN SCÉNARIO DE HAUSSE DES TARIFS, SELON VANDAL
PIS LÀ, JE LEUR AI DIT QUE... ...HI!HI!HI! QUE... HI!HI!HA!... ...QU'AUCUN SCENARIO DE... HA!HA!...DE...DE HAUSSES DE... ..HA!HA!...N'ÉTAIT À...À L'ÉTUDE... HA!HA!HO!HO!.. HI!HI!...
HA!HA!HA! ARRÊTE...HA!HA! TU VAS ME FAIRE MOURIR! HO!HO!HO!HO!.

RICHARD BERGERON RÊVE D’ÊTRE LE LABEAUME DE MONTRÉAL

ÉQUIPE HAREL-LABONTÉ:
L'AUTOROUTE VILLE-MARIE COUVERTE GRÂCE
À UNE EXPOSITION UNIVERSELLE EN 2020
Vidéotron
ENFIN UN PROJET NOVATEUR POUR MONTRÉAL!
...ET C'EST NOUS QUI Y AVONS PENSÉ LES PREMIERS!

DES ENTREPRENEURS TRUQUENT LES APPELS D'OFFRES DANS LES TRAVAUX PUBLICS AU QUÉBEC

JEAN CHRÉTIEN REÇOIT L'ORDRE DU MÉRITE BRITANNIQUE
TU TE SOUVIENS DE CONRAD... JE NE LE PAIE MÊME PAS. RÉINSERTION SOCIALE !

Un nouveau chef à l'ADQ.

LOUISE HAREL ACCUEILLE SON NOUVEAU BRAS DROIT, PIERRE LAMPRON

REGISTRE
DES
ARMES À FEU
AHHHHHHH!!!!
ÇA FAIT DU BIEN!

LE FINANCEMENT "PROPRE" DE RICHARD BERGERON
HEU! C'EST PARCE QUE C'EST MON "SPOT" ICITTE!

QUI A ÉTÉ SUR LE BATEAU DE TONY ACCURSO?
PAS MOI!
MOI NON PLUS!
JAMAIS D'LA VIE!
QUEL BATEAU?
TONY QUI?

LES CANDIDATS CRAIGNENT POUR LEUR SÉCURITÉ
ON N'EST JAMAIS TROP PRUDENT !

LA MAIRIE HANTÉE

DÉFICIT DU QUÉBEC: 4,7 MILLIARDS
AH NON! PAS ENCORE UN VACCIN!!!
NON! NON! C'EST UNE LÉGÈRE PONCTION FISCALE, ÇA FERA MÊME PAS MAL...

IL N'A PAS EU SON VACCIN CONTRE LA GRIPPE A(H1N1)?
NON! IL A ESSAYÉ DE PASSER DEVANT L'MONDE POUR AVOIR SON VACCIN CONTRE LA GRIPPE...

Le diplomate Richard Colvin affirme que le Canada s'est fait le complice d'un système de torture généralisé en Afghanistan.

GÉRALD TREMBLAY RÉÉLU!

STÉPHANE GENDRON RÊVE D'UN NOUVEAU PARTI POLITIQUE DE DROITE
HÉ! HÉ! HÉ!

Claude Dubois et sa famille coupent une longue file
pour se faire vacciner contre la grippe A (H1N1).

LE COURONNEMENT DE GÉRARD DELTELL FAIT CONSENSUS

Un nouveau chef à l'ADQ *(bis)*.

13 NOVEMBRE 2040, DENIS CODERRE RÊVE TOUJOURS DE DIRIGER LE PARTI LIBÉRAL

La femme de Stéphane Dion, Janine Krieber, affiche sur sa page Facebook des propos très critiques envers Michael Ignatieff et le Parti libéral.

PROJET MONTRÉAL:
PAS DE DÉNEIGEMENT SUR LE PLATEAU LES FINS DE SEMAINE
DANS QUOI J'ME SUIS EMBARQUÉ LÀ!!!

PAS DE DÉNEIGEMENT
LA FIN DE SEMAINE?
LA SOLUTION:
LE BIXIDOO!
Tarif de base
5$
Premier déplacement
Au retour
Station pleine?
Prenez votre billet
bixi doo

FORE!

TREMBLAY VEUT UNE RÉVOLUTION

**MAIRE
DE LA VILLE
DE MONTRÉAL**

**MAIRE DE
L'ARRONDISSEMENT
VILLE-MARIE**

**PRÉSIDENT
DU COMITÉ
EXÉCUTIF**

POUR SAUVER SON MARIAGE,
TIGER WOODS ARRÊTE TOUT!

Le parti de Richard Bergeron, Projet Montréal, annonce que la neige ne sera ramassée sur le Plateau-Mont-Royal la fin de semaine qu'après une chute de 15 cm.

ARRIVÉE DE STEPHEN HARPER À COPENHAGUE

DEUX NOUVEAUX HÔPITAUX À MONTRÉAL
ET VOILÀ LE TRAVAIL !
EMPLACEMENT
RAPPORT
ETUDE DE FAISABILITÉ
ETUDE DES SOLS
PROJET
CHUM

MANQUÉ!!!
POURQUOI UNE TOUR
SI ÉLANCÉE À DUBAI?

Les aéroports seront munis de scanners corporels.

AVEC PROROGATION H, TOUS LES IRRITANTS DISPARAISSENT !
PROROGATION H
ÇA SOULAGE!

GEORGES LARAQUE MIS À LA PORTE
DU VESTIAIRE DU CANADIEN
ÇA M'APPRENDRA À COMPTER UN BUT!

Un an après l'investiture d'Obama, sa cote de popularité est passée de 70 % à 50 %.

La Caisse de dépôt dépense plus de 56 000 $ pour le party de Noël de ses employés.

RAPAILLE À LA RECHERCHE DE L'ESSENCE DE QUÉBEC, UNE DÉMARCHE LONGUE DE 12 SEMAINES QUI COÛTERA 300 000 $

LE iPAD, UNE NOUVELLE FAÇON
DE CONSOMMER L'INFORMATION
WOW!
FANTASTIQUE!
QUELLE PRÉCISION DE L'IMAGE!
J'EN VEUX UN!

LE TRUC DE JOHN TRAVOLTA POUR PASSER DEVANT TOUT LE MONDE ENFIN DÉVOILÉ!

Alors que 800 avions sont sur une liste d'attente pour atterrir en Haïti,
John Travolta se pose à Port-au-Prince à bord de son jet privé.

Le ministre de la Famille accusé de favoriser des donateurs libéraux
dans l'attribution de places de garderie.

AU REVOÂR!

AVEC 2 ANS DE MOINS QUE LE CHAMPION EN TITRE, VINCENT LACROIX, EARL JONES MÉRITE LA MÉDAILLE D'ARGENT

Earl Jones écope de onze ans de prison.

Lucien Bouchard critique vertement le Parti québécois et Pauline Marois
au sujet de leur projet de loi sur l'identité.

M. BOUCHARD EST QUAND MÊME UN HOMME QUE JE RESPECTE BEAUCOUP!

HARPER EN HAÏTI
ON PEUT DIRE QUE QUAND ON PROROGE LE PARLEMENT ICI, ON NIAISE PAS !

LE DIRECTEUR GÉNÉRAL DU COVAN, JOHN FURLONG, NOUS PROMET UNE PLUS GRANDE PRÉSENCE DU FRANÇAIS DANS LES CÉRÉMONIES DE FERMETURE

DIRE QU'IL Y EN A QUI PENSENT QUE JE CHERCHE À PROFITER DU SUCCÈS DES OLYMPIQUES... ...FRANCHEMENT!!!

LE TAUX D'ALCOOLÉMIE ABAISSÉ À .05?
MONSIEUR CONDUIT? ALORS, JE LUI SUGGÈRE LE CHÂTEAU MARGAUX 82, EXCELLENTE ANNÉE!

MAXIME BERNIER ÉMET DES DOUTES SUR LA THÉORIE DES CHANGEMENTS CLIMATIQUES

UN PAS DE PLUS VERS LA RÉALISATION
D'UN TGV MONTRÉAL-NEW YORK

La STM pratique une politique de tolérance zéro pour les passagers qui ne peuvent montrer leur titre de transport. Par ailleurs, des documents du ministère de la Sécurité publique révèlent que 34 prisonniers ont été libérés par erreur en 2009.

RÉACTIONS DE MICHAEL IGNATIEFF AU BUDGET
BIEN SÛR, ON VA VOTER CONTRE...
...MAIS ON NE VA PAS DÉCLENCHER DES ÉLECTIONS...
...CAR CE PAYS A BESOIN D'UNE ALTERNATIVE...
...ET NOUS SOMMES CETTE ALTERNATIVE!
HEU!
..MAIS ..HEU!
PAS TOUT DE SUITE...

MICHAËLLE JEAN ET LE MAIRE TREMBLAY EN HAÏTI
ON SE SENT VRAIMENT COMME CHEZ NOUS, À MONTRÉAL!

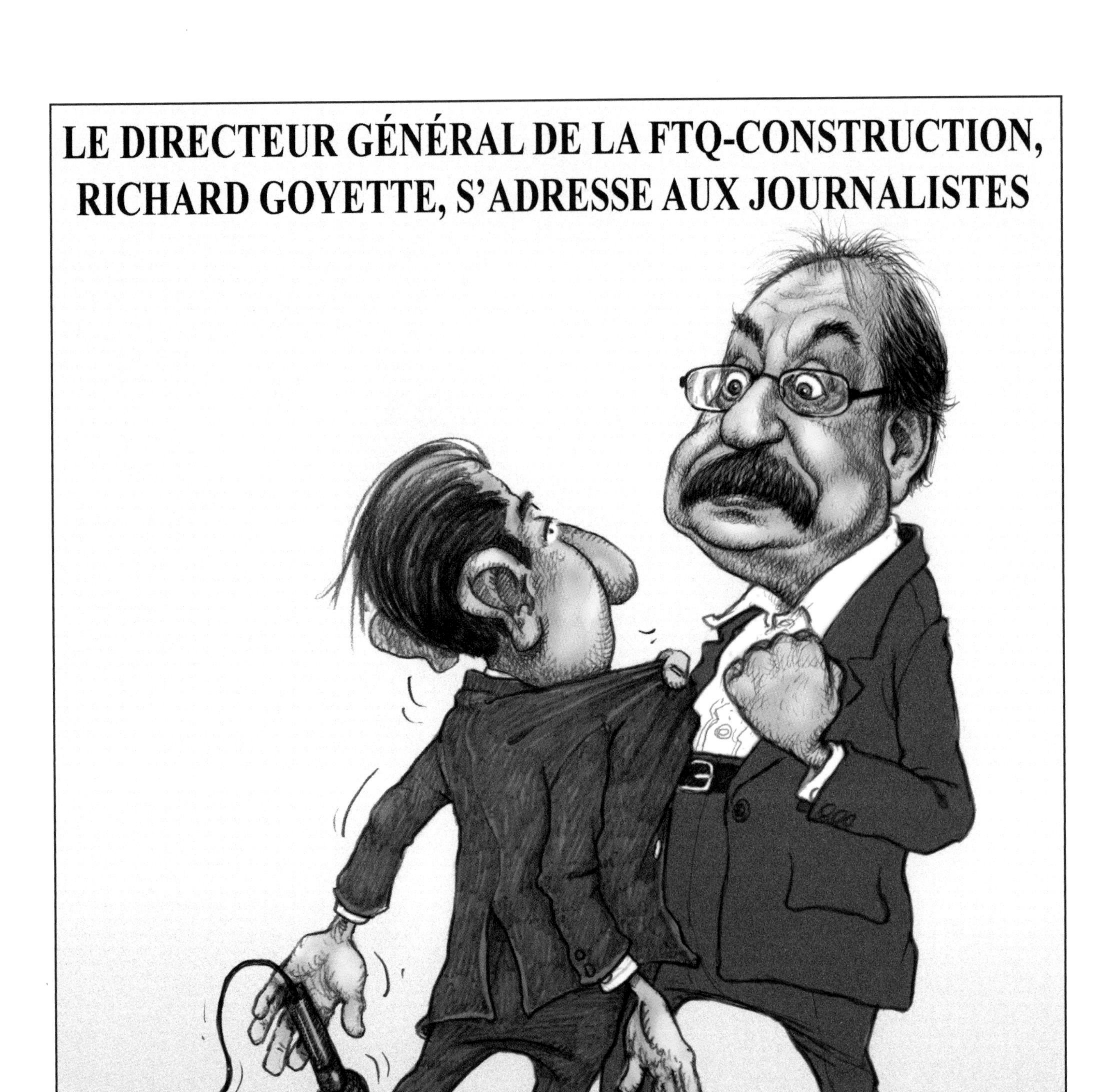
LE DIRECTEUR GÉNÉRAL DE LA FTQ-CONSTRUCTION,
RICHARD GOYETTE, S'ADRESSE AUX JOURNALISTES

LE REPRÉSENTANT SYNDICAL DE LA FTQ-CONSTRUCTION,
BERNARD GAUTHIER, S'EXPLIQUE À SON TOUR

CASCADE DE SCANDALES SEXUELS
ROME DANS LA TOURMENTE

Les Garderies
J'AI EU DES OFFRES QUE JE NE POUVAIS PAS REFUSER!

LANCEMENT DE LA CONSTRUCTION
DU CENTRE DE
RECHERCHE DU CHUM

LE BLOC CÉLÈBRE 20 ANS DE "RÉSISTANCE"
...ET NOUS SERONS ENCORE LÀ DANS VINGT ANS!
BRAVO!
YOUPPI!!
BRAVO!
HEU!?. S'CUZEZ?. C'EST-TU UNE BONNE NOUVELLE ÇA?
QUÉBEC LIBRE!

LABEAUME RÉSILIE
LE CONTRAT DE RAPAILLE
JE N'AVAIS RIEN VU!

BUDGET DU QUÉBEC:
PAS DE NOUVEAUX SOULIERS,
MAIS DE NOUVELLES LUNETTES...
BACHAND VOIT GROS!
Budget 2010
MARS 2010
11

RÉACTIONS AU BUDGET BACHAND
J'AI CONFIANCE EN L'INTELLIGENCE DES QUÉBÉCOIS!

Le parti de Louise Harel, Vision Montréal, accuse un déficit de 240 000 $.

MANIFESTATIONS CONTRE LE BUDGET BACHAND
JE TE L'AVAIS DIT RAYMOND... FAUT RIEN FAIRE !

Michel Chartrand (1916-2010).

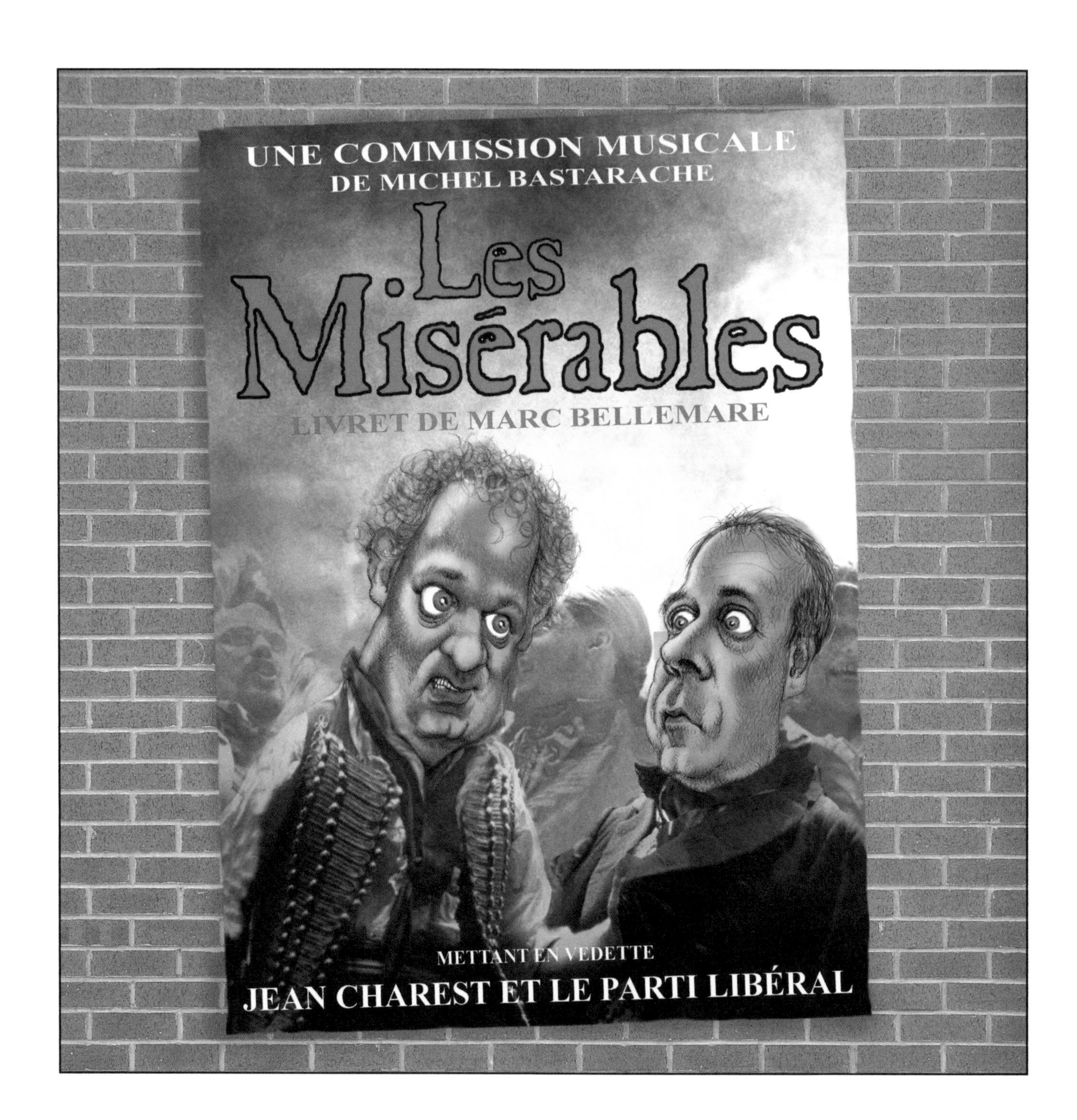
UNE COMMISSION MUSICALE
DE MICHEL BASTARACHE
Les Misérables
LIVRET DE MARC BELLEMARE
METTANT EN VEDETTE
JEAN CHAREST ET LE PARTI LIBÉRAL

Le maire Tremblay dévoile son projet pour le nouvel échangeur Turcot.

PROJET DU MAIRE TREMBLAY REVU ET CORRIGÉ PAR LA MINISTRE JULIE BOULET

Luc Ferrandez traite les fonctionnaires du MTQ d'« attardés sociaux ».

APRÈS L'INCROYABLE PERFORMANCE DE HALAK,
JACQUES MARTIN LAISSE EXPLOSER SA JOIE!

Le maire de Québec accuse celui de Montréal d'être responsable du climat de méfiance qui règne à l'égard des politiciens municipaux.

JEAN CHAREST,
TOUJOURS LES DEUX MAINS SUR LE... OUPS!
TONY!
OUI, JEAN...
DÉBARQUE!

OBAMA FACE À LA PIRE MARÉE NOIRE DE L'HISTOIRE

LA MARÉE NOIRE ATTEINT
LES PLAGES DE LA LOUISIANE
DU BEAU SABLE BITUMINEUX TOUT NEUF, GANG DE CHANCEUX!

DES DÉCHETS ET DES BALLES DE GOLF
POUR COLMATER LA FUITE
bp
bp

À l'Assemblée nationale, Jean Charest traite le leader parlementaire péquiste, Stéphane Bédard, de « tête de Slinky ».

Y PARAÎT QUE MÊME S'ILS PORTAIENT DES ROBES, CES MONSIEURS-LÀ AIMAIENT PAS BEAUCOUP LES MADAMES!
IMAM KAZEM SADIGHI
MGR MARC OUELLET
MUSÉE
SECTION FONDAMENTALISTES

Des filets sont installés sous les fenêtres de l'entreprise chinoise Foxconn
à la suite d'une vague de suicides parmi ses employés.

IL RENONCE À SON SALAIRE DU PLQ!
IL RÊVE D'UNE VIE PLUS SIMPLE!
SHAREK
IL ÉTAIT UNE FIN
LE DERNIER CHAPITRE

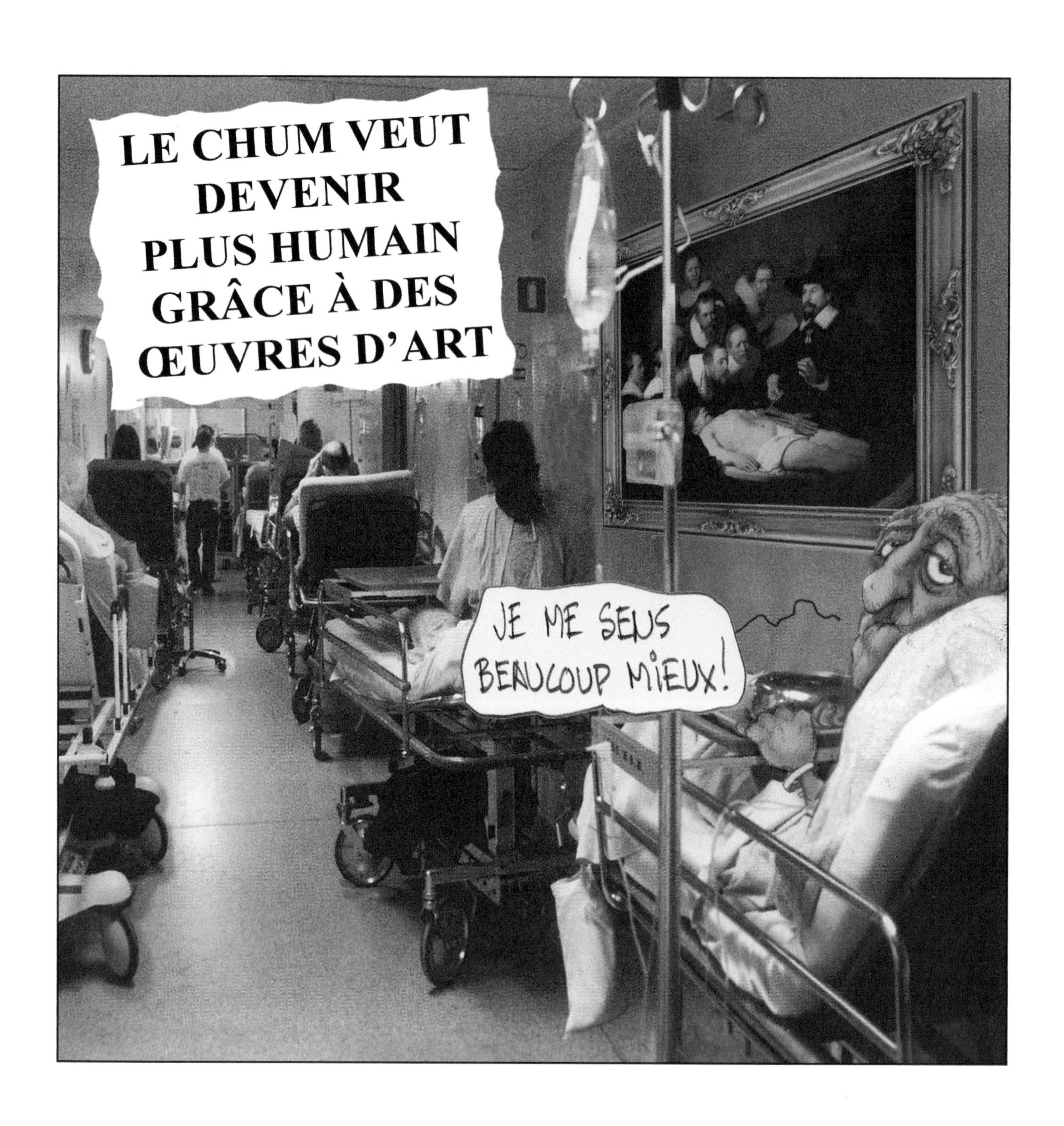
LE CHUM VEUT DEVENIR PLUS HUMAIN GRÂCE À DES ŒUVRES D'ART
JE ME SENS BEAUCOUP MIEUX!

BIENVENUE À MONTRÉAL

POURPARLERS EN VUE D'UNE FUSION PLC-NPD

BZUUUZZZZ
BZUU
CHAREST
BZUUU
QUE PENSEZ-VOUS
DES
IERS
BZUU
SONDAGES !
BZUUUZZ
BZUUU
BZUUUZ
BZUU

LE PRÉSIDENT SARKOZY NOUS PROMET UN SOMMET DIX FOIS MOINS CHER EN 2011

Le sommet du G20/G8 se tiendra à Évian, en France.

Un tigre et deux dromadaires volés au zoo Bowmanville, en Ontario, sont retrouvés près de Drummondville.

22e VISITE DE LA REINE AU CANADA

PLUS D'UN MILLIARD DE DÉPENSES POUR LE G20
ET TOUT ÇA EN VENTE CHEZ CANADIAN TIRE!
LAC ARTIFICIEL

STADE OLYMPIQUE: L'ULTIME SOLUTION

DE NOUVEAUX DÉFIS POUR TONY HAYWARD,
LE FUTUR EX-PDG DE BP

LE MINISTRE TONY CLEMENT SAUVE UNE FEMME DE LA NOYADE

OTTAWA VEUT RÉDUIRE
LA CONSOMMATION DE SEL
L'EXPRESS Libéral EXPRESS
MAIS N'OUBLIONS PAS QUE LE SEL EST UN REHAUSSEUR DE GOÛT ET QU'IL ACCENTUE LA SAVEUR...
L'EXPRESS Libéral EXPRESS

Pour remplacer son leader parlementaire et ministre de la Sécurité publique,
Jean Charest va repêcher un ancien collaborateur.

LARAQUE DEVIENT CHEF ADJOINT DU PARTI VERT DU CANADA

Pour mieux répondre aux besoins des conducteurs,
dont l'acuité visuelle diminue avec l'âge, le ministère des Transports
procédera au remplacement progressif des 400 000 panneaux de signalisation.

CAISSE DE DÉPÔT- 2009
CAISSE DE DÉPÔT-2010

LA FOLKLORISATION DE LA SOUVERAINETÉ, QU'EN PENSE GÉRALD LAROSE?

CHANTEZ TOUS AVEC MOI...

SWINGE LA SOUVERAINETÉ-ASSOCIATION ET LE DISCOURS RÉFÉRENDISTE DANS LE FOND DE LA BOÎTE À BOIS!

...S'CUSEZ-LA!

LE RAPPEUR WYCLEF JEAN ASPIRE À DEVENIR PRÉSIDENT D'HAÏTI

VIRE-CAPOT (virkapo) n.m.
Expression québécoise. Qui change d'idée, fait volte-face. Voir Marc Bellemare.

MARC PARENT, NOUVEAU CHEF DE POLICE
SIX HEURES EN MA COMPAGNIE, SANS FLANCHER, IL EST FORT !

...ET LE SUSPENSE CONTINUE!
nomination des juges
...C'EST LE JUGE MOUTARDE, DANS LA BIBLIOTHÈQUE, AVEC LE CHANDELIER!

Jean Charest témoigne à la commission Bastarache.

À L'OCCASION DE LA CANONISATION DU FRÈRE ANDRÉ,
LE STADE OLYMPIQUE SE PRÉPARE À
UN GRAND RASSEMBLEMENT LE 30 OCTOBRE

LA COMMISSION BASTARACHE ENTRE DANS UNE PHASE PLUS TECHNIQUE DE SES TRAVAUX

LA TOURNÉE ESTIVALE DE MICHAEL IGNATIEFF TIRE À SA FIN
14 JUILLET
26 JUILLET
17 AOÛT
1er SEPTEMBRE
ÇA Y EST, J'AI RÉUSSI !
Liberal

BENOIT LABONTÉ NOMMÉ CONSEILLER EN GOUVERNANCE
AU BURKINA FASO OÙ IL VEILLERA A ASSAINIR
LES PRATIQUES MUNICIPALES
AVANT TOUTE CHOSE, TOUJOURS UTILISER LE BON FORMAT D'ENVELOPPE BRUNE!
ENVEVELOPPES BRUNES
'TIT CONTRAT
GROS CONTRAT
MOYEN CONTRA

EN VILLE SANS MA VOITURE
FAUDRAIT PEUT-ÊTRE QUE J'M'Y RENDE EN VILLE !

À QUÉBEC,
ON VOIT GRAND!
LA MARCHE BLEUE

BELLEMARE TROUVE UNE DISQUETTE
DE SON AGENDA 2003
JE L'AI AUSSI TROUVÉ SUR VHS ET SUR 33TOURS!
MON AGENDA 2003
MON AGENDA 2003

ANDRÉ CAILLÉ EN BURN-OUT

LES PRÉPARATIFS EN VUE DE
LA CANONISATION VONT BON TRAIN
...VOUS SAVEZ, JE NE SUIS QU'UN SIMPLE AVOCAT!

MISE EN PAGES ET TYPOGRAPHIE:
CHRISTIAN CAMPANA

ACHEVÉ D'IMPRIMER EN NOVEMBRE 2010
SUR LES PRESSES DE L'IMPRIMERIE INTERGLOBE
À BEAUCEVILLE (QUÉBEC).